예고생이 말하다
발 행 | 2024년 3월 8일
저 자 | 덕원예고 디자인B
펴낸이 | 한건희
펴낸곳 | 주식회사 부크크
출판사 등록 | 2014.07.15(제2014-16호)
주 소 | 서울특별시 금천구 가산디지털1로 119 SK트윈타워 A동 305호
전 화 | 1670-8316
이메일 | info@bookk.co.kr

ISBN | 979-11-410-7559-0

www.bookk.co.kr

예고생이
말하다

- 덕원예고 디자인B반 지음 -

차례

←———————— 차례 ————————→

이 책은 덕원예술고등학교 디자인과 학생들이 각자 자신이
이야기 하고 싶은 주제에 대해 작성하여 모아서 만든 책입니다.
다양한 인사이트와 시각, 주제에 대해 이야기하고 있으니 구간
별로 비슷한 이야기들도 있지만 다양한 이야기가 준비되
어있으니 참고하시고 즐겨주시면 감사하겠습니다.

미술의 본질

미술의 본질에 대하여

예술은 경계가 모호하고 정의되어 있지 않은 것으로 개인의 가치관과 환경에 따라 다르다. 시대에 따라 추구하는 시각적인 미술품이 변화를 하듯 환경과 사람들의 사고에 따라서 다양성을 갖고 있다. 예술과 문화 사이에서 아름다움은 태곳적부터 인간의 상상력을 만들었다. 우리는 미적 경험의 추구와 예술적 창조의 사색, 아름다움의 철학, 그리고 그것들이 우리 삶에 미치는 미술의 본질과 중요성을 탐구해 보아야 한다.

1.불확실성

먼저 이 무겁고 모호한 주제를 이끌기 전에 당신은 이 저자에 대한 불확실성과 의심 또는 심하게 실소까지 충분히 당신의 마음속에 자리 잡을 수 있다. '네가 뭔데?' '예술가들이 오랫동안 고찰하던 본질에 대해 고작 예술고등학교 재학생이 해석할 수 있나?' '그전에 내세울 만한 작품은 있고?' 충분히 이해하고 당연한 의심이다. 나 또한 이러한 의심들이 내 마음속 어딘가 자리 잡고 있다. 그런데 우리가 크게 간과하고 있는 사실은 우린 모두 '완성형'이 아니다. 이 유동적이고 넓은 변질적인 세상의 '해답'은 그 누구도 줄 수 없는 것이다. 이 세상은 아니, 인간으로만 시야를 좁혀보아도 어떠한 물체보다 외부 자극에 의해 쉽게 변질되는 유동적인 물체이다. 우리가 쌓아 올린 예술가치관, 정의, 신념 등등 이 추상적인 것은 고작 인간이 정의 내린 것인데 그것과 나의 주관들이 조금 다르다고 해서 그것이 틀린 것인가? 우리 모든 것들은 완성형이 아닌 "과정"이고 그 불확실하고 모호한 정의가 얼마나 많은 사람들에게 영감을 주는지에 따라 그 정의에 가치가 부여된다. 예를 들어 빅뱅이론과 천지창조 둘 중 어느 것이 사실이라고 한들 그것에 대해 아무도 믿지 않는다면 그것은 거짓과 다름없다. 내 생각을 구체화해주는 것은 지금 나의 생각을 이 글로 간접적으로 체험 중인 누군가 들이다. 어떠한 외부 자극을 통해 이 책에 이끌렸다면 고작 고등학교에 재학 중인 이 작은 예술가들이 거치고 있는 소소한 "과정"들이 해답이 아닌 공감으로 책의 가치를 부여받길 원한다

2.본질

미술의 본질이란 무엇일까? 먼저 규격화된 정의는 이러하다.

미술(美術)은 시각적인 요소로 표현하는 예술을 말한다. 회화, 조소, 건축, 공예, 서예 등이 그 종류다. 요즘에는 시각예술(視覺藝術, visual art)이라고도 한다. 사실 서구권에선 '미술'을 지칭하는 단일 용어가 따로 없다. "Art"라는 단어는 "예술"을 뜻하기 때문에 한국처럼 "나 미술 전공자야(I'm an art major)"라고 외국에서 말하면 어느 분야의 예술인지 헷갈리게 된다. 우리가 일컫는 미술을 지칭하려면 비주얼 아트(visual art)나 파인 아트(fine art)라고 해야 한다. 회화나 조각은 화실에서 작업하는 경우가 많으므로 스튜디오 아트(studio art)라고도 한다(출처 : 백과사전)

나는 조금 더 철학적으로 접근해 보고자 한다. 미술이라는 것은 굉장히 오랜 시간, 시대, 세기를 거쳐 구체화되고 있는 '과정'이다. 미술이라는 것 또한 굉장히 유동적이기 때문에 많은 시간을 거쳐 변화해왔다. 이것은 그 누구도 확실성을 가질 수 없으며 대립되었을 때 많은 공감을 이끄는 것이 더 구체성에 많은 접근을 하는 것이다. 이러한 미술은 당연하게도 전체적인 사회의 흐름에 맞춰가는 '과정'이다. 내가 생각하는 미술로서의 가치는 이 사회의 흐름 속에서 큰 변화를 주는 것이라고 생각한다. 바로 담론을 제시하는 것이다. 쉽게 비유하자면 이 미술이라는 게임 속에서 "게임 체인저 [game-changer]"가 되는 것이다. 사람들은 그동안 알고 있던 것에 반대되는 것과 접근하면 커다란 충격을 받는데 미술로 치면 '시각'예술에 있어서 가장 큰 충격을 주는 것은 담론을 제시하는 것이다. 예를 들어보자. 1860년대 파리의 미술가들이 주도하기 시작한 인상주의는 서양미술에 있어서 큰 가치의 비중을 차지한다. 왜 그럴까? 기존 예술에 있어서 사실주의를 고집했던 예술 흐름을 향해 빛의 변화에 따른 순간적인 형태의 변화를 포착하려는 미술 양식을 활용해 회화에서의 재현적인 사실적 묘사가 더 이상 의미가 없게 되었음을 입증해 주는 커다란 충격을 제시했기 때문이다. 따라서 내가 생각하는 가치 있는 미술은 사람들에게 그전에 것과 다르고 이질적인 충격을 제시하고 또 많은 이들을 내가 제시한 것으로 이끄는 단계라고 생각한다. 당신들은 미술이라는 해답 없고 추상적인 것에 대해 어떤 정의를 내렸는가?

3.보편적인 예술의 정의 과정

 예술의 정의 관점에서 역사 속 철학자들의 다양한 이론과 관점을 바탕으로 예술을 구성하면서 예술의 현실적 반영에 초점을 맞춘 개인적인 표현예술에 대해 생각해 보았다. 우리는 예술이 개인의 성장과 문화적 촉매 역할인 예술가로 성장하고 있는 우리들에게 창의적인 관점에 도전하고 성장한다. 미술은 느낌과 생각을 시각적으로 표현하고, 시각 이미지를 통해 다른 사람과 소통하며, 자신과 세계를 이해하는 예술의 한 영역이다. 또한 그 시대의 문화를 기록하고 반영하기에 우리는 미술 문화를 통해서 과거와 현재를 이해하고, 나아가 문화의 창조와 발전에 공헌할 수 있다(교육과학기술부 고시 제2011-361호, 미술과 교육 과정-별책 13). 따라서 미술은 인간의 시지각 능력을 바탕으로 개인이 생각하고 느끼고 믿는 것을 형태와 색채 등 여러 가지 조형요소를 이용하여 표현하고, 작품을 통해 아름다움과 미적 정서를 나타내는 조형예술 활동으로 예술고등학교에서 미술을 전공하고 전문적으로 배우는 생으로 미술의 본질에 대하여 보다 자세히 알아보겠다. 미술의 본질에 관해 '듀이(John Dewey)'는 다음과 같이 말한다. 미술은 인간이의 식적으로, 또 의미의 수준에서 회복할 수 있고, 요구, 감각, 충동과 인간의 독특한 활동을 결합할 수 있는 생생하고도 구체적인 증거다. 의식의 개입은 규제와 선택의 힘과 재구성의 능력을 증가시킨다. 이와 같이 의식은 끝없는 방법으로 예술을 다양 화한다. 그러나 그 의식의 개입은 또한 예술이 인류의 역사 속에서 가장 위대한 지적

성취이며 의식적인 사상이라는 생각을 가능케 했다. 듀이에게 미술은 인간 삶 속에서 경험 형태로 본질적으로 가치 있는 것이고, 의미 가 부여되는 것이다. 예술고등학교 현장에서 미술교육의 본질을 이해하고, 교육의 질을 결정짓는 요소 중 하나는 교육과정이라고 할 수 있다. 대학입시 교육과정 내용을 학년별로 맞게 지식, 경험 체계 등을 쉽고 명확하게 습득하여 학교에서 대학입시의 기초 자료로 활용되고 있다. 사실, 학교 현장에서 미술수업은 교사의 수업 관점에 따라 발상지도 나 동기유발, 감상 자료 제시, 시청각 매체 활용, 수업내용체계 구성 등을 다 학교 미술교육에서 실행되는 모든 학 습의 기초 자료가 되는 것이 교육과정이므로 그 가치는 매우 크다고 볼 수 있다 현대미술의 정의 현대미술은 19세기 말부터 현재까지의 시대에 개발된 미술을 말한다. 다양한 시대 적, 문화적, 사회적 변화에 응답하며 다양한 형식과 스타일을 포괄하며 새로운 아이 디어와 표현방식을 탐구하는 경향이 있다. 세계적으로 현대 아티스트는 문화적으로 다양하고 기술적으로 진보된 세계 활동을 하고 있다. 현대 미술은 회화, 조각, 사진, 설치미술, 비디오아트, 퍼포먼스 아트 등 다양한 매체와 형식을 포괄하며 예술가들은 재료, 방법, 개념, 주제 역동적인 조합을 도입하고 혼합하여 작품을 창조하고 창 의성을 부여하며, 미술의 경계를 확장한다. 미술적 요소에 따른 영화의 시각적 효과 미술적으로 매우 풍부한 요소를 가지고 있는 영화는 몇 가지 특징 요소가 있다. 첫 번째는 색채이다. 영화는 촬영 장소와 설정에 따라 다양한 색채를 사용하고 있다. 두 번째는 장면 구성이다. 영화는 장면마다 구성 요소를 통해 이야기를 전달하고 이를 통해 상상력을 강조한다. 세 번째는 음악이다. 영화의 음악은 감정을 강조하고 장면의 분위기를 조성하는데 중요한 역할을 한다. 감동적이고 섬세한 작곡이 사용되고 이야기의 감정적인 깊이를 강조하고 장면의 분위기를 조성하는데 중요한 역할을 한다. 네 번째는 비주얼 효과가 사용되어 시각적으로 강조된다. 이러한 영화 속 미술적 요소들은 시각적 아름다움과 분위기 및 감정을 강조하고 이야기의 전달력을 강조한다. 이러한 요소를 통해 영화의 미적인 가치와 예술적인 면모를 경험하며, 이야기에 몰입할 수 있게 한다.

4.흥미

앞으로의 이 책의 내용들은 예술의 흥미가 확고해진 다음에 그 가치가 뚜렷해질 것이다.

"흥미는 있는데 확실하지 않아서 두려워요."

그렇다면 일단 자신을 던져봐라. 모든 것이 과정이라 한다면 경험 속에서 의미 없는 것은 없다.

"과정이 곧 보상이다" -스티브 잡스-

어떤 과정도 의미 없는 것은 없다. 우리는 깨달음의 동물이고 과정 속에서 얻어낸 깨달음이 시퀀스 (sequence)로 커다란 무언가를 이뤄낼 것이다.

조금이라도 미술에 흥미가 있다면 부딪치고 경험했으면 좋겠다

5.예술고등학교란?

예술고등학교는 대한민국의 특수 목적 고등학교로 1992년 지정되어 문학, 음악, 미술, 무용, 연극, 영화 등 대한민국의 예술 실기 인재를 양성하는 데 목적을 둔다. 1990년대 이후 생활수준의 향상 및 문화 예술 산업에 대한 관심이 커지면서 여러 문화 예술 산업 육성을 명목으로 짧은 기간 동안 많이 늘었다. 각 학교마다 입학하는 학생들의 평균 내신과 실기 수준의 격차는 매우 크고, 대학 진학률도 학교마다 매우 차이가 크다고 할 수 있다. 대학 진학에 크게 부각이 되면서 예고가 주목받기 시작했지만, 몇몇 명문 예고를 제외하면 거의 없는 관계로 같은 예고를 두고도 상당히 다른 이미지를 가지고 있는 경우가 많다. 미술 전공 예술 분야를 지망하는 학생들은 우선적으로 중학교 때 예술고등학교를 준비하는데 실기시험을 거의 같은 날짜에 보고 중복지원이 불가능하기 때문에 중학교 내신 점수를 최종적으로 통보받고 준비하던 학교를 붙을 수 없을 것 같은 예감이 들 때는 자신이 준비하던 학교와 실기 과목이 똑같거나 비슷한 학교를 찾아 지원해야 되는데, 그만큼 예고의 입시는 떨어지는 경우 고입 재수나 편입을 하지 않는 이상 들어갈 수가 없기 때문이다. 일명 5대 예고로 불리는 서울, 선화, 덕원, 경기, 계원예고는 실기가 아닌 내신 성적의 경우 200점 만점에 187점 이상이어야 보통 안정권이라고 할 수 있는데 막상 입학해 보면 190점 이상대의 평균으로 성적 반영 비율이 높아서 내신관리를 철저하게 해야 하는 부담감이 있다. 대입에서 정시보다 수시 비율이 높아지는 만큼 예고의 특성과 개념을 이해하고 공부하기 싫어서 예고를 지원하는 편견을 갖고 예고 진학을 꿈꿀 지는 말아야 할 것이다.

예고의 교육과정을 살펴보면, 일단 과목만 놓고 보면 예술 전공과목을 제외하고는 일반계 문과와 별 차이가 없다. 이는 외고와 마찬가지로 예고의 시험 수준은 학교마다 엄청난 차이를 보이며, 어떤 학교의 경우엔 외고 수준으로 어려운 학교도 있는가 하면, 수준 낮은 하위권 일반계 고등학교 수준에 불과한 경우도 있다. 이런 점 외에 예고는 대부분이 물리, 화학, 생물, 지구과학 같은 과탐을 배우지는 않는다. 그러나 많은 대학교들이 2011년 입시부터 과탐을 필수화시키거나, 그렇지 않더라도 과탐 중 최소 2개는 3년 중에 이수해야 한다는 전형을 공개하면서 2011년부터는 대 부분의 예고들이 과탐을 배우기 시작했다. 또한 사회탐구 과목도 반영하는 학교가 있어서 사탐 과목 내신 준비를 열심히 하는 편이다. 주로 필수과목인 한국사, 한국지리, 생활과 윤리, 사회문화 등의 교과과정이 있다. 2. 미술 전공 미술 전공 입시의 대부분 실기는 소묘, 수채화이다. 전공별로 따로 모집하는 경우는 드물기 때문에 무슨 전공을 생각하고 있든 1학년에서는 '미술반'에 소속되는 경우 가 많다. 1학년 때 다양한 종류의 미술을 두루두루 배워보고 2학년 때 전공을 정해 서 본격적으로 입시미술을 배우기 시작한다.

나의
입시
이야기

LV.1
이서인

때는 중학교 2학년 말,
모두가 고등학교에 대한 걱정이 생겼을 무렵
친구 한 명이 미술을 해 예술고를 가겠다고 말했다.
당시 일반고에서의 평범한 생활을 생각하던 나에게
그 친구의 말은 나름 충격이었다.

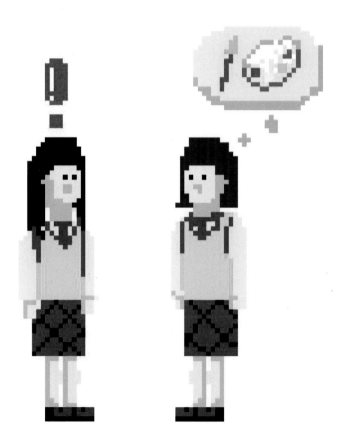

평소에 그림 그리는 것을 좋아하던 나였지만
미술을 진로로는 한번도 생각해본 적이 없었기에
그 친구의 말과 함께
갑자기 내 미래에 갈림길이 생긴 기분이었다.

따로 명확한 꿈은 없었지만
나에게 미술은 뭔가 특별한 사람들을 위한 길 같았고,
그 길에 난 없다고 생각하며 살았었다.
그리는 것도 만드는 것도 좋아했지만 갑작스러운 선택에
'내가 이 길을 선택해서 후회는 하지 않을까?' 라는 고민이 들었다.
그러나 후회도 해보고 하는 게 낫다는 부모님의 말씀으로
한달의 고민 끝에 미술학원을 다니게 되었다.

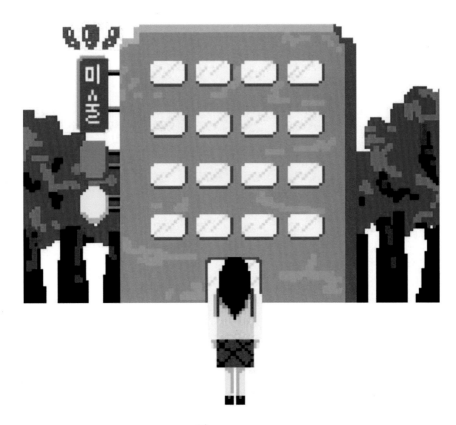

10살 이후로 처음 가본 어색한 미술학원의 분위기는
생각보다 삭막했다.
모두가 같은 의자에서 같은 이젤과 같은 화판을 썼고,
같은 소재의 그림을 그리고 있었다.
들리는 소리는 연필의 사각거림과 붓을 빠는 소리뿐이었다.
그때의 난 그 분위기에 약간의 압도감도 들었지만
내가 진짜 미술을 하는구나!라는
두근거림이 더 컸었던 것 같다.

아직도 처음 원기둥을 그릴때가 생각난다.
연필은 어떻게 깎는지, 잡는지도 몰랐고
눈치를 보며 옆 친구가 그리는 걸 보고 따라했다.
그래도 그게 마냥 재밌어서 시간 가는 줄 모르고
4시간을 앉아 그렸다.

생각보다 시간은 빨리 흘러갔고,
여름방학과 함께 여름특강을 보냈다.
아침 8시부터 저녁 10시까지 시험을 위해
앉아서 그림만 그리던 나에게 회의감이 들었다.

그림은 마음대로 안 그려졌고
남들과 날 계속 비교하는 내가 싫었다.
쉬는 시간마다 화장실에 들어가 울었던 날도 있었다.
미술을 그만둘까 생각도 했었다.
그러나 내가 이렇게까지 열심히 할 다른 무언가 있을까
되생각하며 마음을 다잡았다.

힘들었던 입시를 버틸 수 있었던 이유는 많았다.
엄마가 싸 주시던 매일 달라지는 도시락,
친구들과 하늘을 보며 옥상에서 먹었던 점심,
같은 목표를 향해 달려가는 친구들,
그리고 그림을 그릴 때 불쑥 들던 행복하다는 감정이
내 버팀목이 되었다.

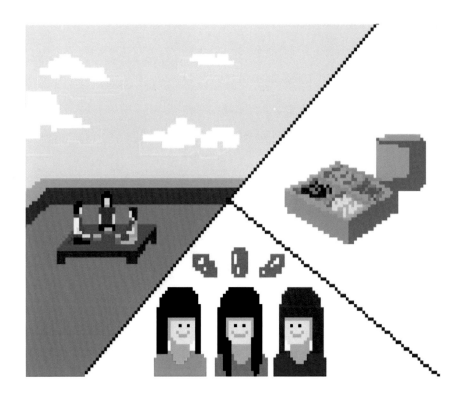

시간은 흘러 대망의 시험날이 되었고,
생각보단 떨리지 않았다.

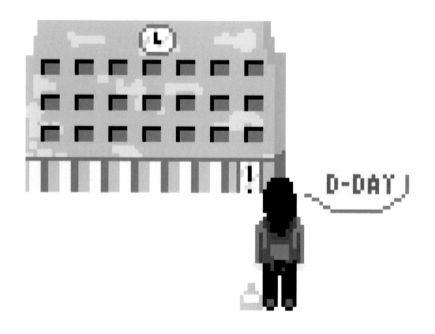

끝나곤 후련함보단 헛헛함과 아쉬움이 더 컸던 것 같다.

합격발표일에 친구와 전화로 함께 확인한 합격 결과를 보곤
하루 종일 행복했었다.

어느덧 그렇게 원하던 학교의 2학년이 되었다.
입시는 지금 생각해도 다시 돌아가고 싶지 않은
가장 힘들었던 시간들이지만
그 시간들이 없다면 지금의 나도 없다고 생각한다.
그때의 기억을 종종 생각하며
내년의 입시를 준비해본다.
모든 입시생들 파이팅!

예고
입시 이야기

-최예나-

내 중3시절 예고입시를 할 때의 이야기이다.

나는 중2때부터 미술학원에 다녔는데 본격적으로
입시를 시작한건 중3 겨울이었다.

그때까지는 입시가 그렇게 빡세고 힘든 일인줄 몰랐다.

근데 겨울방학에 들어가니 체력적으로 정말 힘들었다.

일단 공부도 같이 병행해야했기 때문에 하루에
학원이 3개는 기본이였고 그림을 그리면서 많이 혼나기도
했다.

겨울방학 도중에 나는 중간에 포기를하려고 했던적이 있다.
어느때와 다름없이 미술학원에 가려고 아침일찍 준비를 하고
밥을 먹고있을때, 나는 갑자기 부모님 앞에서 울면서
그림을 그만그리고 싶다고 말했다. 그때 엄마는 지금까지
힘들다는 말 한마디 없었던 내가 그렇게 우는걸보고 마음이
아팠다고 말씀하셨다. 그날부터 나는 일주일동안 학원에
가지 않았다.
그러던 때, 미술학원 선생님께서 나에게 상담을 해주신다고
미술학원에 잠깐 불렀다. 그렇게 선생님과 상담을 하고
결국 그 다음 주부터 다시 학원에 다니게 되었다

그렇게 학원을 다니며 계속 그림을 그리니
 어떨 때는 하루하루 실력이 느는 것 같아서 뿌듯했고,
어떨때는 나만 잘 못하는 기분이 들어서
 자신감이 떨어지기도했다.

그 당시에는 '입시에 떨어지면 어쩌지'
'그림을 망치면 어쩌지' 이런 고민들을 많이 했는데
그런 고민의 과정을 겪고 더 열심히 해야겠다는
마음이 생겨서 더 독하게 입시를 준비할 수 있었던것 같다.

여름방학이 오고 나는 더 바빠졌다.
모든 학원을 끊고 매일 아침부터 저녁까지 오직 미술학원만
다녔다. 그래서 집에있는 시간보다 학원에 있는 시간이 더
많은것은 당연했다. 그래도 포기하지않고 입시에 집중했다.

그렇게 노력한만큼 내 실력도 많이 올라갔다.
시험에서 상위권을 차지하는 경우도 여러번 생겼다.

시험을 잘봐서 칭찬받은 날은 정말 뿌듯하고 행복했지만
그날따라 그림을 잘 못그리고 망쳐서 혼나는 날에는
너무 우울했다.

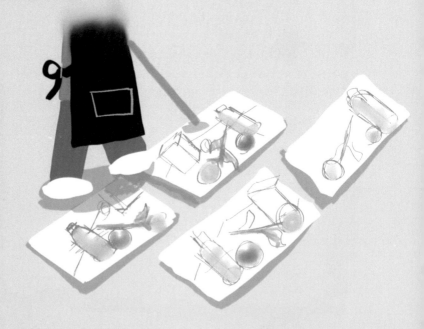

내가 유난히 못그리던 정물은 형태쪽으로는 의자, 패트병등이
있었고, 묘사쪽으로는 회색벽돌, 꽃등이 있었다.
그런 정물이 학원에서 시험으로 나올 때마다 더 긴장했고
자신이 없었다.

내가 조금 자신있었던 정물은 사과, 과자봉지등이 있었다.
입시가 얼마 안남아서 나는 무슨 정물이 나올지
더 궁금해졌고 내가 좋아하는 정물이 나오길 바랐다.

입시가 코앞으로 다가와 일주일도 안남았을때,
우리는 본인이 자신없는 정물들을 연습했고, 더욱 더 마음이
떨려왔다.
그래도 나는 한편으로 이 길고 긴 입시가 끝나간다는 생각에
벌써부터 조금 들뜨기도 했다.
지금까지 내가 죽을듯이 노력해왔던 것들이 물거품으로
변하지 않기를 기도했다.

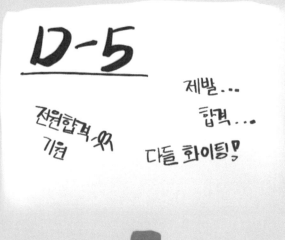

드디어 입시 당일!

우리는 아침일찍 학원에 모여 손을 풀었고 선생님의 평가를
들었다. 첫날은 수채화여서 파레트와 붓을 꼼꼼하게 챙기고
각자 차를타고 덕원예고로 향했다.

나는 차를타고 가면서 심장이 터질것만 같았다. 부모님은
나를 계속 응원해주시고 격려해주셨다.

학교에 도착해서 처음으로 덕원예고를 봤을때는
학교가 정말 넓어보였다.

그렇게 우리는 서로 화이팅을 하고 각자 고사실로 들어갔다.
고사실에서 처음보는 친구들을 보고 낯선 환경에 있으니
더욱 긴장되는 기분이였다.

천

의자

핑크물리

발리볼

그 외
키보드, 청경채 등

수채화 정물이 공개되었을 때, 나는 약간 멘붕이 왔다.
우리가 거의 해보지 못했던 의자가 나왔고, 그렇게 수도없이
많은 정물을 그려봤는데 그려본 정물은 거의 나오지 않았다.
나는 어떻게 구도를 짤지 많이 고민했고 최대한 침착하려고
노력했다.
내가 어떻게 그렸는지 모르게 시간을 빠르게 흘러 시험시간은
끝이났다.
시험이 끝나서 나오는데 정문에 부모님이 계셨다. 나는
부모님을 보자마자 긴장이 풀리고 내가 시험을 망친거같다는
생각에 엉엉 울었다.
지금 생각해 보면 그렇게 못그린 그림은 아니었지만,
그 당시에 나는 정말 합격하지 못할 것 같다는 불안감이 들었
다.

그래도 나는 그런 불안감에 휩쓸리지 않도록 노력했고
결국 합격했다.

그 합격 결과를 가슴 졸이며 보고 내 수험번호가 적혀있던
순간을 난 잊을 수 없다. 그 당시에는 너무 행복했고 이
지겹고 힘들었던 예고 입시가 드디어 끝난다는 것이 정말
후련했다. 또한 내가 이 입시를 포기하지 않고 해냈다는
것이 뿌듯했다.

정말 힘든 1년이었지만 그 노력이 없었더라면 나는
덕원예고에 입학하지 못했을 것이다.

요즘도 가끔 학교생활이 힘들 때 예고입시시절을
떠올린다. 그땐 정말 독하고 간절한 마음으로 입시를 했고
예고에 들어온 이상 그때보다 더 독한 마음으로
대학입시를 잘 해내야겠다는 생각이 든다.

예술인으로서 태도

시작에앞서

 예술인으로서 태도는 굉장히 범위가 넓고 주관적인 것 주제인 것 같다. 그리고 이 글은 앞으로 예술인이 되기 위해 노력하고 있는 나의 주관적인 생각이라 하나의 주장 또는 의견 정도로 생각하고봐주시면 좋을 것 같다.

주체적인 삶을 살자

내가 생각하는 예술인으로서 가장 중요한 것은 주체적인 삶을 살아가는 것이다. 예술작품은 내 삶에서 나오기 때문에 주체적인 삶을 살아가지 않는다면 주체적인 작품이 나올 수 없다. 내가 생각하는 주체적인 삶은 주체적인 생각을 하고 살아가는 삶이다. 많은 사람들이 너무 수동적으로 살아가는 것 같다. 스스로 생각하면서 스스로의 가치를 만들어가야 한다. 왜냐하면 요즘 시장과 예술은 가치가 중요해진 것 같기 때문이다. 옷이나 물건도 품질도 중요하지만 그 브랜드나 판매자의 가치나 역사를 사는 경우가 많아졌고 예술도 현대미술이나 추상화 같은 작품들이 가치를 지녀서 차별점이 생기고 그러한 부분으로부터 예술성을 인정받는다고 생각하기 때문이다.

평소 살아갈 때 의견과 생각 없이 살아간다면 작품도 의견과 생각 없는 텅 빈 이쁜 쓰레기가 될 것이다.

군중과 예술

무언가 창작하고 싶은 욕구는 누구나 있다. 하지만 우린 창작욕이 있으면서도 창작을 하는 것을 꺼리게 된다. 왜냐하면 우리는 본능적으로 무언갈 만들었을 때 이를 사람들이 비웃을까 봐 걱정하게 된다. 하지만 이런 비난이나 반대 의견이 있더라도 내 생각을 가지고 작품을 만들 수 있어야 한다. 이를 삶에 관점으로 보면 사람들에게 비웃음을 당할지라도 자신의 의견을 표출할 수 있어야 한다. 우리는 때때로 군중에 탑승하여 스스로 생각하지 않고 책임을 전가할 때가 있고 의견을 내다보면 군중에게 비난을 받는 경우도 있기에 의견을 내지 않거나 의견을 굽히는 일이 많고 그 방법이 더 쉽다, 하지만 앞서 말했듯이 주체적인 작품을 만들려면 주체적인 삶을 살아야 한다. 내 의견 하나 없이 사회적 눈치만 보면서 모든 내 생각을 군중화한다면 절대로 예술적으로 인정과 성공할 수 없을 것이다.

군중이라는 것이 다수이기에 그들의 의견을 무조건 무시하고 반대로 가라는 것은 아니지만 그들의 의견이 무조건 맞는다는 것은 아니다.

군중과 내 생각을 볼 때는 주관적으로 보고 객관적으로도 보면서, 군중과 나의 관점을 벗어나 그 상황 자체를 인지할 필요가 있다.

말과 생각

자유로움은 많은 부분이 있다. 아이디어를 낼 때 각박하게 압박을 해서 나오는 경우도 있지만 자유롭게 대화하면서 나오는 아이디어가 많다. 나는 표현의 자유, 말을 자유롭게 할 필요가 있다고 생각한다. 말의 힘은 무섭다 말 한마디로 천 냥 빚을 갚는다는 속담처럼 말 한마디에 사람이 살기도 죽기도 한다. 왜냐하면

내가 생각하는 말은 곧 생각이기 때문이다.

가끔 너무 많은 생각들이 머릿속을 떠다닐 때 글을 쓰는 것도 좋은 방법이지만 혼자서 독백을 하거나 주변 사람들과 대화를 하면 생각이 정리될 때가 있다. 만약 특정 사회가 언어에 대한 통제를 하게 된다면 이는 내 생각까지 통제한다는 말이 된다. 자신의 표현에 의해 다른 삶들이 피해를 보면 안되지만 다른 사람들의 지나치게 감정적인 기준에 의해 나의 표현도 침해받으면 안 된다고 생각한다. 이는 특정선을 정하기 어려운 주제이지만 너무 지나치게 말을 하는 부분에서 자유롭지 못한다면 생각에 제한이 생기기에 더욱더 창의적인 생각을 할 수 없을 것이다.

삶에서 나오는 예술

글의 주제는 예술인으로서의 태도인데 자꾸만 삶의 관점으로 보는 이유는 **내 작품은 내 삶으로부터 나오는 것** 이기 때문이고 그것이 다른 사람들이 보기에도 설득력과 호소력이 있기 때문에 예술적인 작품을 만들기 위해는 예술적인 삶을 살아야 하고 주체적인 생각을 가진 작품을 가지기 위해서는 주체적인 생각을 가지고 살아가야 한다.

사회와 예술

만약 예술적이고 주체적인 작품을 만들기 위해 그런 삶을 산다면 문제는 주변의 사람이 거의 없을 것이다. 예술은 외롭다는 말처럼 사실 이러한 행동들은 반사회적인 행동들이 많다. 디자인이나 미술 선생님처럼 사회적으로 직접적으로 연결돼있는 직종이나 예술인들은 그러한 삶을 살되 반드시 그에 대한 경계를 지켜야 할 것이다. 이건 어떤 선을 만들기엔 굉장히 애매하고 모호한 선이지만 앞으로 살아가면서 스스로가 선을 만들고 사회적으로 인정되는 선에서 살아가되 주체적인 삶을 사려고 노력해야 할 것이다. 그리고 사회도 예술적인 부분을 인정해 줄 수 있는 분위기나 그런 것들을 하나둘 우리가 바꾸어간다면 예술을 하면서도 사회적인 활동을 할 수 있을 것 같다.

다양한 경험 적극적인 태도

작품이 다채로운 이야기를 담고 싶다면 다채롭게 살 필요가 있다. 우리가 살면서 기회가 없는 부분도 있지만 기회가 있음에도 실질적인 도움이나 그냥 귀찮다는 이유로 하지 않는 다양한 활동들이 있다. 그런 다양한 활동을 적극적으로 활동하고 많은 경험을 한다면 작품에서도 다양한 이야기를 풀어갈 수 있을 것 같다. 그래서 살면서 무언가 활동할 기회가 왔을 때 귀찮거나 이익을 따지려는 태도로만 접근하지 말고 적극적으로 활동에 참여하는 자세가 필요할 것 같다

회피와 직면

사람들이 보면서 좋아하는 작품 중 하나가 나는 사회 풍자라고 생각한다. 모든 예술작품이 사회 풍자할 필요는 없지만 문제가 되는 부분에서 의견을 제시할 용기가 있어야 한다고 생각한다. 이를 삶의 관점에서 보면 어떠한 문제가 발생했을 때 모든 문제를 회피하는 사람들이 있다. 문제를 맞닥뜨려서 해결한다면 해결될 문제들도 회피하여 문제를 해결하려고 하는 것 같다. 이는 비유하자면 격투기 시합을 하는데 한 대도 안 맞고 상대를 쓰러트리려는 것과 같다. 격투기에서 상대를 쓰러트리려면 나도 어느 정도는 맞아야 하는 것처럼 문제를 맞닥뜨리게 되면 나도 리스크를 걸어야 하는데 이는 사람마다 다르지만 어느 정도의 리스크를 걸고 주장을 할 수 있어야 내 생각을 자유롭게 이야기할 수 있고 주체적인 삶을 살 수 있을 것이다.

다양한 관점으로 보기

우리들은 **예술 하면 틀에 박힌 생각을 하지 말아야지** 라는 생각을 하게 된다. 하지만 이는 꽹장히 어렵다. 다수의 의견을 따르지 않는다면 혼자만 틀에 박힌 사람이 될 수도 있고 다수의 의견을 따른다면 다수의 의견에 동조하는 틀에 박힌 사람이 될 수 있다. 어떤 일에 생각을 가지고 의견을 가질 때는 상황에 대한인지가 꽹장히 중요하다고 생각하는데 이는 사람의 수로 보는 것이 아닌 스스로가 다양한 관점에서 생각해야 한다고 생각한다.

우리가 살아가면서도 많은 문제와 트러블이 생기곤 한다. 내 감정이, **내 기분이 상한다는 이유로 그 사람이나 일에 대해 편협한 시각으로 무조건적인 비난과 악감정을 가지지 말고 그 사람**

의 입장 제3자의 입장으로도 생각해 보면서 다양한 관점을 가지고 사건과 사람에 대해 봐야 하는 태도를 길러야 한다고 생각한다. 그래야 생각을 자유롭게 하면서 다양한 의견과 타당한 주장을 낼 수 있고 그것이 예술적인 작품으로도 이어져 많은 사람들에게 공감과 인정을 받을 수 있다고 생각이 되는 것 같다.

글을 마치며

이렇게 내가 생각하는 예술인이 가져야 할 태도에 대해 글을 써보았는데 개인적인 생각이기 때문에 누군가는 다르게 생각할 수도 있을 것 같다. 그래도 보편적으로 주위 예술 쪽 진로를 준비하는 친구들에게 질문하였을 때 '계속해서 생각하기', '틀에 박힌 사고 안 하기', '다른 대상을 편협적으로 사고하지 않기' 등 비슷한 의견들이 나왔던 것 같다. 앞으로 멋진 사람 그리고 멋진 예술인으로 성장하면서 끊임없이 내가 살아가면서 가져야 할 태도에 대해 생각하고 발전하는 사람이 되었으면 좋겠다. 긴 글 읽어 주셔서 감사합니다.

이하림

예고생의 꿀팁

미술인의 꿀팁들

소묘

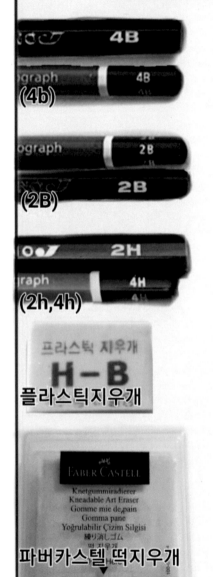

4B
(4b)

2B
(2B)

2H
4H
(2h,4h)

프라스틱 지우개
H - B
플라스틱지우개

FABER CASTELL

Knetgummiradierer
Kneadable Art Eraser
Gomme mie de pain
Gomma pane
Yoğrulabilir Çizim Silgisi
ねり消しゴム
떡 지우개
파버카스텔 떡지우개

ex)참고로 전동지우개같은경우는

시험장에선 금지하는경우가 많아

처음부터 안쓰는걸 추천해!!

4b들은 많이써 봤으니 잘 알고있지?

이건 2b랑h랑 연필 칠한걸 한번 비교해보면

2b hh로갈수록 선은점점 얇아지고
부드러워지며 세련되지는 장점이 있어!

 하지만 4b,6b같은것들에 비해

점점 톤도 연해지기때문에 그냥 4b만 쓰는것보단

여러가지를 써보고

자신의 그림에 맞는 방법을 찾는것이

실력이 느는 좋은방향이 될 수 있으니 한번 시도해봐.

이번엔 너희들이 잘 모를만한

지우개들에대해 설명해줄게 먼저,플라스틱지우개

(문구점에파는 싼 모양플라스틱 지우개x)는

주로 묘사할때 한번에 딱 지우기에 적합한지우개야

하지만 전체적으로 톤을 빼거나할땐

원래쓰던 떡지우개나 톰보를 쓰는게 좋아

2번째론 파버카스텔 떡지우개인데,

이건 클레이같은 느낌으로 너가원하는 적당한모양을

만들어 톤을 빼주는거야오히려이건 깨끗한묘사를위한

지우개가아니고 부분으로 밖에 못하니

노는용도로 더많이쓰일때도있어 ㅠ

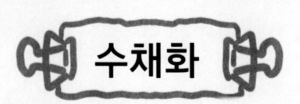

수채화

(둥근붓)

(실버바바라)

(라파엘 시리즈)

(사선붓,납작붓)

(치킨타올)

(미젤로 수체화용 고농도 흡수패드)

둥근붓은 써본사람이 많겠지만,
소묘만한사람들에게 간단히 설명하자면 처음
수채화를접하는사람들에게 미지근한그림이아니게
붓자국이 잘남는 탈력이있어 초보용으로 가장좋은
기본붓이야,어느정도 수채화를할 수 있다면 자신의
장점의 맞는 붓도구를 찾아 실력을 늘리면 좋아.
그래서, 너무 자국이 많이남거나 그림이 딱딱한 친구는
부드러운붓중 실버바바라를 사용해봐.
이붓은 그림을 부드럽고 느낌있게 해 주는데,
이붓은 호불호가 많이갈려 확실히 맞는붓을 찾아야해,
라파엘은 인조가아닌 진짜털이 들어가
그림을 닦아포인트를 만들거나 묘사할때 좋아
그리고 사선붓이나 납작붓은 인공물의직선등을할때
연습해두면 디자인에관심있다면 많은 도움이 될거야.

수채화추가도구를 알려주자면, 수채화를할때 수건이
더러워지거나 없을경우 주로 휴지로 사용할려하는데,
그러면 붓에 휴지가붙어버려 그림이 더러워질 수 있어,
그땐 키친타올로이나 미젤로 고농도 흡수패드를
사용하면 훨 나아질거고,팔레트 딱을때 시간도
절약되고,잘 안딱이는부분에 유용해.

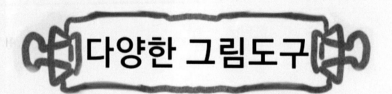

다양한 그림도구

(화홍펜붓)

(유화붓)

(팔레트 페인팅 나이프)

ex)유화붓은 굳는데 몇일이 걸리기에 괜찮지만, 아크릴붓은 몇시간만에 바로굳어버려 사용못하므로 바로바로닦기!!

(세필붓)

(아크릴붓)

(스텐실붓)

너희들이 전공을 선택하기위해 다양한 시도들을
해볼거야, 유화에서는 그림이 물조절을하는게아닌,
기름으로그리기에 냄새도 엄청나고,물맛이아닌,
색조합,거칠거나 부드러운 느낌으로 그림을 그려.
ㅡ화홍펜붓은 유화,아크릴 다양한데 쓸 수 있고,
붓이 필력이강해 거친느낌을 주는 붓이야.
그래서 풀같은걸 그릴때유용해,
 ㅡ그냥유화붓은 붓이 매우탱글해서 계속문질러서
부드러운 오로라같은 느낌을 낼때좋아.
ㅡ페인팅 나이프는 통물감을 꺼낸때 주로쓰는데,
아크릴같이 굳어 입체가만들어지는 미술용품으로
질감을만들때 사용하면 좋아.
ㅡ세필붓은 유화,아크릴수체화에 묘사를할때 매우좋아
하지만 많은부분을 칠하긴힘드니 중요한부분만 사용해!
ㅡ아크릴붓은 유화붓과 거의 비슷한데 섬세한묘사가
힘드므로 주변 문구점,다이소에서산 붓으로해도
크게차이없어!
ㅡ스텐실붓은 유화나 아크릴,디자인그림에 점 질감을
나타낼때 유용해, 하지만 매우거치니까 종이
안찢어지게조심해애해!

다양한 그림도구2

(조소점토)

(조소도구들)

(동양화붓)

(동양화 화지)

─조소점토(흙)은 매우 무겁고,
처음엔 매우딱딱해 하지만
물을뿌리면 금방 말랑해져
주로 흙을붙여가고
다양한조소의 도구들로
깎고,
밀고,문지르며 두상이나
다양한것들을 만들어 몸이좀
힘든부분이있지만,
조소의 장점은 손그림에비해
완전히 다시 고칠수 있어
─동양화에선 화지라는
매우 얇은종이에 그리다보니
물에묻어 쭈글쭈글해지고
동양화는 물의 농도조절이나
붓의 섬세한 터치로 그리는
매우 느낌적인 부분이야.
하지만 그림을 다그린후
물이많으면 시간이지나 다
번지니까 조심해야해!

마지막으로 하고싶은말

예고에 처음오는 친구들아 .

내신과 수능을준비하면서

전공을 정하기위해 로테이션하며

다양한 재료나 기법,방식을알아가며

낯썰고 힘들수도 있지만,

내 글을 읽고그림그릴때에 조금이나마

도움이 되었으면좋겠어.

꼭좋은 도구들써서

좋은대학 가길 바랄게!!

예고의 장점

예고생이 생각하는 진짜예고의 메리트!

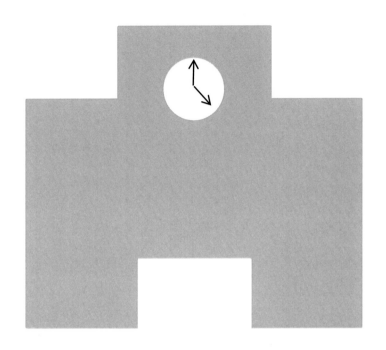

덕원예고에 대해

첫 번째 장점

예고의 장점 첫 번째는 일단 자신과 비슷한 목표와 꿈을 가진 친구들과 같은 곳에서 관심사를 탐구하며 전공에 대한 이해도, 친밀도를 높일 수 있다는 점이다. 일반 인문계 고등학교에서는 상대적으로 미술이라는 전공에 대해 공감대를 나눌 친구를 찾기가 힘들고 전공에 관해 도움을 얻거나 배움을 얻을 기회가 많지 않다. 예술고등학교는 이러한 면들에 있어서 일반고등학교 보다 미술이라는 진로를 선택한 친구들에게 더할 나위 없이 도움이 되고 좋은 학교라고 할수 있다. 교과 시간 이외에 주어지는 충분한 실기시간과 여러가지 미술활동을 경험하고 나와 같은 진로를 선택한 친구들과 함께 의지를 다지고 함께 꿈을 향해 나아 갈 수 있다는 것, 예술고등학교의 첫 번째 장점이라고 말 할 수 있다.

사진출처:펙셀

두 번째 장점

예술고등학교의 두 번째 장점은 여러가지 미술 분야를 체험해보고 진로를 탐색 한 뒤에 나의 세부 전공을 선택 할 수 있다는 것이다. 덕원예술고 등학교의 경우 1학년에 입학 하면 기초 디자인, 기초 조소, 기초 수묵, 기초 회화, 디자인 크리 에이션, 입체 조형, 전통 채색, 현대 회화로 나뉜 8가지의 수업을 한달씩 돌아가며 체험하게 된다. 여러가지 전공을 돌아가며 체험해 보면 나의 흥미가 어떤 전공에 있는지 빠르게 확인 할 수 있고 매 주 수업마다 클래스팅 학습일지를 통해 나 스스로를 돌아보며 보완 할 뿐만 아니라 선생님께 피드백을 받고 매월 한 전공 수업이 끝난 뒤에는 나의 수업에 대한 종합적인 점수를 부여 받음으로서 내가 어떤 전공을 잘하고 어떤 전공이 부족한지 쉽게 파악 할 수있다. 이러한 시스템을 통해 1학년 친구들이 여러 전공을 탐색해 보고 자신의 전공을 직접 선택 할 수 있다는 것은 예술고등학교만의 큰 장점이다.

사진출처:펙셀

세 번째 장점

예고의 장점 3번째는 전공 밖에도 다른 다양한 진로 체험을 할 기회가 많이 주어진다는 것이다. 대표적으로는 판화특강 , 옻칠공예(그립톡 제작), 도자공예, 염색공예 수업이 진행된다. 이러한 수업을 통해 홍대수시 미술활동보고서 작성에 도움이 될 수 있고 판화과나 공예과 도예과를 희망하는 친구들에게는 더할나위 없이 좋은 기회가 될 것이며 이러한 체험을 통해 나의 흥미와 관심사, 진로에 대해 더 심도있게 탐구 할 수 있다.

판화는 총 2번에 걸쳐 수업이 진행되는데 각가 다른 방식의 판화를 체험해 볼 수 있으며 도자공예는 내가 만들고 싶은 오브제를 점토를 활용해 자유롭게 만들 수 있으며 구워진 완성본을 받아 볼수 있어 많은 성취감을 느낄 수 있다.

옻칠공예와 염색공예 역시 생소 할 수 있지만 이론 수업을 차근 차근 듣고 실습을 진행하며 새로운 즐거움을 느낄 수 있었다.

DEOKWON ARTS
HIGH SCHOOL
31ST EXHIBITION

2023.05.17-2023.05.23, AM 10:00 - PM 7:00
서울시 종로구 인사동 9길 26 아라아트센터
미술 전시회 오프닝: 5월 17일(수) 14:30

네 번째 장점

예고의 장점 4번째는 예술고등학교의 가장 큰 행사이자 장점인 정기 미술 전시회이다. 덕원예술고등학교는 가장 큰 전시회로는 학생들이 2학년 5월즈음 진행하는 덕원예고 미전이 있으며 학생들이 1학년 겨울 부터 자기 스스로 컨셉과 주제를 선정하고 재료 선택과 제작과정 제작 계획 모두 자발적으로 진행하게 된다. 담당 선생님들에게 피드백을 받아가며 온전히 나의 힘으로 오랜기간 한 작품을 완성해 내는데 이러한 경험이 그 당시에는 너무 힘들고 버겁기도 했으나 완성된 나의 작품이 전시회장에 걸리고 엽서와 도록에 실린 나의 그림을 볼때 그 무엇으로도 형용할수 없는 성취감과 행복을 느끼게 된다. 나의 작품을 남 앞에 전시한다는 뜻깊고 흔하지 않은 기회를 예고생으로 제공 받는 다는 것은 예고의 큰 장점이 될것 이고 학생들에게 큰 업적이자 귀중하고 유익한 경험, 스펙이 될 것 이다. 덕원예술고등학교는 정기 미전외에도 교내에서 계속해서 크고 작은 자체 전시를 진행한다. 예로는 1학년 말 전공로테이션 전시회, 매년 2번 진행되는 봄,가을 이미지 탐구 전시회, 전공 심화 전시회, 창의 아이디어 전시회 등이 있으며 학생들은 이러한 전시 경험을 통해 더 성장하고 더 나은 예술인으로 거듭 날 수 잇을 것이다.

정 준

미래에 하고 싶은 작업

예술고등학교에 진학한 이유

내가 미래에 하고 싶은 작업에 대해 말하려면 먼저 내가 왜 예술 고등학교에 진학하고 싶었는지를 설명해야 할 것 같다. 나는 중학교 1학년 때 '예고에 가고 싶다'라는 생각을 처음으로 했는데, 그 이유는 그림을 잘 그리고 싶어서나 예술적인 무언가를 해보고 싶어서가 아니었다. 당시에 난 소설책 보는 것을 굉장히 좋아했는데, 책을 읽을 때 마다 항상 그림이 없는 것이 아쉬웠다. 물론 그림이 없다면 내가 실제로 어떻게 생겼을지 상상하고 머릿속으로 그려볼 순 있지만, 작가가 생각하는 것이 정확히 뭔지, 작가의 머릿속에서 상상되어진 것 자체를 알 순 없기 때문에 내가 직접 추측하며 소설에 알맞은 그림을 그리곤 했었다. 취미로서 계속하다가 미래에도 이러한 작업을 하고 싶었고, 취미가 아닌 전문적으로 해보고 싶기도 했다. 또한 당시 그런 그림을 그리는 것이 학교 수업이나 다른 활동보다 더 재미있기도 해서 적성에 잘 맞을 것 같아 예술고등학교에 진학하게 되었다.

예술 고등학교에서 배우는 것들이 나중에 도움이 될까?

예술 고등학교에 진학한 후 바로 자신이 원하는 작업을 할 수 있는 것은 아니다. 예술 고등학교는 대학 입시에 중점을 둔 곳이 대부분이므로 입시 미술을 위주로 수업을 진행하기 때문에 자기 자신의 작품 세계관이나 추구하는 방향보다는 대학교들이 원하는 그림을 주로 배울 수밖에 없다. 그렇다고 해서 예고 생활이 하고 싶은 작업에 도움이 되지 않는다 라고는 할 수 없을 것 같다. 물론 예술 고등학교에는 다양한 전공 과 가 있고, 각자가 추구하는 작품 방향이 다르기 때문에 무조건 이렇다 라고 확답할 순 없겠지만 나의 전공인 디자인 계열은 기초적인 틀이나 그림을 그리는 기술 자체는 입시 미술을 하며 배우는 경우가 많기도 하고, 대학 시험 유형들도 충분히 작업과 연관 지을 수 있다고 느껴진다. 디자인 자체가 창의성을 많이 요구하는 전공일분더러 시각을 중점으로 둔 수업을 하기 때문에 학교에서 하는 수업을 바탕으로 개인 시간을 조금만 할애하면 충분히 개인의 작품성을 늘리고 자신의 원하는 작업에 도움이 될 것이라 생각한다. 꼭 디자인이 아닌 다른 전공이라도 학교에서 배우는 수업을 어떻게 받아들이는지, 자신이 원하는 방향의 작품과 얼마나 잘 연결 시키는지에 따라 많은 도움이 될 수도, 반복적인 입시미술에 그칠 수도 있는 것 같다. 물론 이 글을 쓰는 나도 입시를 하고 있는 학생이고 아직 작품을 출품하거나 작업을 통해 소득을 내고 있는 건 아니기 때문에 학교 수업을 통해 얻은 것들로 작품성이 올라갔는지, 정확히 얼마나 도움이 되는지 증명할 순 없지만 학교 수업을 들으면서 자신의 방식 대로 다시 표현한다면 어떨지, 주어진 문제와 비슷한 작업을 하는 작가가 있는지 여러 방법으로 고민해보고 알아보는 것이 가만히 수업을 듣고 그리는 것보다 많은 것을 얻어가는 게 잘못된 것은 아닐 것 이다.

실제 학교에서 그린 그림과 나의 생각들

이 그림은 학교 실기 시간에 수업한 국민대학교 유형 문제이다. 문제 조건은 "땅콩 행성에 토끼 한 마리와 의자 3개, 땅콩 행성을 공전하는 커피콩 위성 3개가 있다" 였는데, 난 이 문제를 보고 생각나는 아이디어가 많았다. 일단 처음으로 생각난 것은 달 토끼였는데, 실제로 달 위에 서 있는 토끼를 위주로 그림을 구상하시는 일러스트레이터 분도 계시고, 그림 관련 사이트에 자주 올라오는 주제이기 때문에 재구성을 잘 해보면 입시 문제가 아닌 실제 일러스트의 느낌을 낼 수도 있을 것 같았다. 또한 어린이들이 주로 보는 동화나 단어 책에 재미있게 쓰일 수 있을 것 같다는 생각도 들었다. 어린 왕자에서 나오는 바오밥나무 행성과 비슷한 느낌으로 커피콩과 땅콩으로 구성된 행성들과 그 곳에 살고 있는 토끼. 달의 느낌보단 좀 더 큰 행성으로 스토리를 잘 짜면 좋은 일러스트가 나올 것 같아 시간이 되면 그려보고 싶었다.

이 그림 또한 학교 실기시간에 수업한 국민대학교 유형 문제의 과정이다. 문제 조건은 알파벳B, 종이컵, cd, 띠 종이를 활용하여 대칭과 비대칭을 나타내는 것인데, 이러한 유형은 스토리가 없고 정물만을 사용하는 문제라서 작품 창작과는 전혀 관련이 없다고 생각 할 수도 있다. 실제로도 저 그림을 그릴 때는 떠오르는 아이디어도 없었고 딱히 흥미도 가지 않았지만, 나중에 수업 받은 내용을 정리할 때 자료를 찾아보니 기초도형만을 사용하여 대칭과 비대칭요소를 부각시키는 작가님도 있었고, 석고를 사용하여 비대칭과 대칭을 입체로 한 눈에 알 수 있게 만든 작품도 있었다. 확실히 관심을 가지고 찾아보면 연관된 작품이 무조건 나오는 것 같아 신기했고 내가 추구하는 방향은 아니지만 추상적인 예술 작품을 좋아한다면 나름 생각해볼 여지가 많을 것 같다.

내가 미래에 하고 싶은 작업

내가 하고 싶은 작업은 일러스트 중에서도 배경에 중심을 둔 일러스트다. 난 그림은 사람들이 실제로 볼 수 없는 것을 그림으로 나타냄으로써 볼 수 있게 도와주고, 좀 더 쉽게 많은 것들을 상상할 수 있게 도와주는 매개체 역할을 한다고 생각한다. 그래서 쉽게 접할 수 있는 현실보다는 미래나 판타직한 세계나 신화적인 주제가 작가가 창작해야 하는 부분이 많기 때문에 더 흥미롭고 그릴 때 즐길 수 있어서 끌리는 것 같다.

최근에 대중적으로 떠오른 장르인 사이버펑크(cyberpunk) 또한 내가 선호하는 장르 중 하나이다. 사이버펑크란 SF 문학의 한 장르로, "사이버네틱스" + "펑크".의 합성어이다. 한국어로 "기계화된 세상"+ "암울한 분위기″ 라고 번역 할 수 있는데, 말 그대로 몇 십 년 후 정도 후 기계가 대체한 부분이 많아진 미래를 암울한 분위기로 표현하는 것이다. 근 몇 년 동안 사이버펑크 관련 영상물이 많이 제작 됨에 따라 관련 그림과 2차 창작물 또한 늘어나고 있어 대부분의 사람들이 알게 되었는데, 나는 이러한 사이버펑크적 배경에 사회적 메시지를 담은 작품을 그리고 싶다. 내가 이런 작업을 하고 싶다고 주변 친구들에게 얘기하면 왜 하필 사이버펑크 배경에 사회적 메시지를 담고 싶어 라고 물어보는데, 일단 내가 느끼는 사이버펑크에 끌리는 점은 사이버펑크의 네온사인과 은은한 어두움이다. 물론 그냥 시각 효과이고 그래야 멋있으니까 라고 생각할 수도 있다. 일부분은 맞는 말이고 대부분의 사람들이 그러한 것에 끌려서 사이버펑크를 접한다고 한다. 그러나 이 네온사인은 겉으로 봤을 때는 화려해 보이지만 실제로는 굉장히 위험하고 효율이 좋지 못한 전구이다. 사이버펑크도시 또한 겉으로 봤을 때는 화려하지만 어두움과 암울함을 내제하고 있기 때문에 단순 시각적 효과도 있지만 의미적으로도 잘 어울리지 않나 싶다. 사이버펑크 배경에 사회적 메시지를 담고 싶은 이유 또한 이것이다. 사회 또한 겉으로 보기엔 평화롭고 조용해 보일지 몰라도 깊게 들여다보면 그렇지 못한 경우가 많기 때문이다. 사이버펑크 자체가 모순도 많고 겉으로 보이는 건 일부분이고 보이지 않는 곳에서 굉장히 많은 일이 일어는 것이므로 조금 강조만 한다면 메시지를 전달하기 쉽고 눈에도 잘 들어올 것이다.

물론 저러한 작품을 그리기 위해선 노력도 많이 해야 할 것이고 앞으로 더 알아가야 할 것도 많으므로 학교 수업에서 얻어올 수 있는 것들은 얻어 오고 스스로 학습해야 할 것은 찾아보면서 목표하는 것을 이뤄야겠다.

물론 저러한 작품을 그리기 위해선 노력도 많이 해야 할 것이고 앞으로 더 알아가야 할 것도 많으므로 학교 수업에서 얻어올 수 있는 것들은 얻어 오고 스스로 학습해야 할 것은 찾아보면서 목표하는 것을 이뤄야겠다.

what's in my palette?

2530 이서현

•Red

1. 퍼머넌트 레드(Permanent red)-SWC

-가장 기본적인 빨강.
 입시 때 사과와 장미를 그리면서 가장 많이 썼던 색인데 같은 빨강 계열이라도
주황빛이 도는 버밀리언이나 카드뮴 레드 딥보다 따뜻한 느낌이다.
'퍼머넌트'가 붙은 물감은 합성염료를 사용한 물감으로, 선명하게 발색 되고
이름의 유래인 영어 단어 Permanent의 뜻 대로 거의 영구적으로 바래지 물감이다.

2. 버밀리언 휴(Vermilion hue)-SWC

-주황빛이 돌며 사과보다는 약간 바랜 단풍에 가까운 색.
내 팔레트에서 퍼머넌트 레드와 함께 다른 색보다 더 큰 칸을
차지한 색이다. 마르고 난 뒤 좀 탁해 보이는 특징이 있다. 나는
빨간 파프리카의 주요색으로 자주 사용했었고 인공물보단
자연물에 좀 더 잘 어울린다고 생각한다.
버밀리언은 인류 역사에서 가장 오래 사용되어 온 색 중 하나인데
수은으로 유명한 광물 진사를 가루로 만들어 사용했다고 한다.
현대에는 대부분 진품 대신 안전한 버밀리언 휴를 쓰는 추세이다.

3. 퍼머넌트 로즈(Permanent rose)-SWC
-이름부터 장미인, 장미 그 자체인 색.
빨강보다는 분홍에 가까운 느낌이다.
퍼머넌트 레드, 퀴나크리돈 스칼렛과 함께 장미에 가장 많이
사용되며 대부분의 꽃 종류에는 꼭 썼던 것 같다. 앞서 나온
퍼머넌트 레드와 버밀리언은 빨강의 공격적이고 열정적인
이미지의 색이라면 퍼머넌트 로즈는 좀더 부드럽고 따뜻한
이미지.

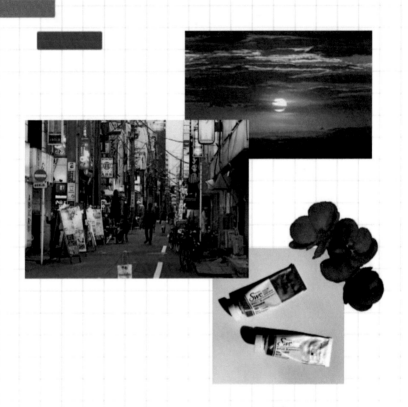

4. 퀴나크리돈 스칼렛(Quinacridone scarlet)-HWC
-드디어 나온 첫 홀베인 물감.
퀴나크리돈은 적색계 유리 안료의 이름이라고 한다.
장미나 콜라 그릴 때 주로 쓰고 사과에도 살짝 들어가면 예쁘다.
홀베인 물감은 신한 물감보다 훨씬 비싸서 팔레트 전부를 채우기엔
부담스럽지만 이 색처럼 선명한 난색 계열 색은 신한보다 홀베인이 더
예쁘니 써보는 것을 추천한다.

•Orange

1. 퍼머넌트 옐로 오렌지(Permanent yellow orange)-SWC

-오렌지와 당근 사이에 있는 색. 상큼한 색감이 환타에 잘
어울린다. 퍼머넌트 레드, 로즈와 마찬가지로 발색이 좋고
자기주장이 강한 편. 그러고보니 이 색에 관한 일화가
생각나는데, 온종일 미술학원에 갇혀 그림을 그리던 가을 무렵,
창 바깥으로 보이던 노을의 색이 너무 예뻐서 팔레트 한구석에
이 색과 오페라를 섞어 노을 색을 만들어두고 지칠 때까지
보면서 그렸던 기억이 있다. 그만큼 내가 좋아하는 색 중 하나

•Yellow

2. 퍼머넌트 옐로 딥(Permanent yellow Deep)-SWC

-귤이나 벌꿀에 가까운 색.
퍼머넌트 옐로 오렌지와 마찬가지로 쨍한 색감이
특징이다.
이런 옐로우 계열은 보통 자연물,특히 귤이나 노란
파프리카같이 입시 단골 정물에 주로 쓰는데, 많이
사용되는 만큼 자주 새로 사야 해서 홀베인보다 훨씬 싼
신한 물감을 계속 썼던 것 같다.

3. 퍼머넌트 옐로 라이트(Permanent yellow light)-SWC
-노랑 그 자체인 색. 바나나가 떠오르는 선명한 노란색이다.
옐로 계열은 모든 색 중에서 제일 깨끗하게 써야 하는
색인데, 무언가 묻어있어도 티가 덜 나는 진한 색과는
달리 다른 색이 조금이라도 묻어있는 채로 쓰면 선명한
노란색이 나오지 않는다. 그럴땐 팔레트에 물감을 짠 뒤 틈이
없도록 평평하게 해두면 편하다.

4. 레몬 옐로(Lemon yellow)-SWC
-이름 그대로 레몬이 떠오르는 색.
대부분의 수채화 입시생 팔레트에서 가장
밝은색이다. 보통 단독으로 쓰이는 경우는 별로 없고
청경채나 배추 같은 이파리 채소의 밑 색으로 깔거나
가장 밝은 면에 포인트로 넣는다.
퍼머넌트 옐로 라이트에서 말한 대로 다른 색과 함께
쓰는 경우가 많아 팔레트에서 칸이 더러워지기
쉬우니 다른 색을 쓰고 레몬 옐로를 써야 한다면 꼭
붓을 빨고 쓰자.

•Green

1. 옐로 그린(Yellow green)-신한 water color
-밝은 연둣빛의 페리도트 같은 색.
양배추 같은 잎채소를 그릴 때 밑 색과 밝은 면에 바르면
상큼한 느낌이 든다.
봄 나무나 잔디밭 같은 풍경에도 자주 쓰이는 유용한 색

2. 코발트 그린(Cobalt green)-HWC
-에메랄드빛 바다를 닮은 청량한 민트색.
코발트 블루와 마찬가지로 금속 원소 코발트로
만들어진다.
코발트 그린은 물을 타서 옅게 발라도 파스텔톤에 가까워
자연물에는 잘 어울리지 않는 색이지만 인공물, 특히
투명한 물체를 그릴 때 포인트로 조금 넣어주면 더
다채롭고 예쁘게 그려진다.

3. 후커스 그린(Hooker's green)-SWC

-초록은 일반적으로 평화, 편안함, 안전 등의 의미로 자주
쓰이는데 나는 그 중 후커스 그린이 가장 초록의 이미지에
어울리는 색이라고 생각한다. 특히 한여름에 짙어지는 나무의
색 같은 인상을 주는데 탁하거나 흐리지 않고 잔잔하게 다른
색을 아우르는 초록을 보다 보면 마음이 편안해진다.
그런 색의 인상처럼 후커스 그린은 대부분의 초록 물체에
무난하게 어울리는 색이고 주로 단호박, 오이 같은 자연물에
쓰인다

4. 피콕 그린(Peacock green)-SWC

-이름에서부터 알 수 있듯이 공작의 깃을 닮은 고아한
분위기의 청록색. 색이름 앞에 피콕이 붙은 색은 피콕
그린말고도 피콕 블루가 있는데, 두 색 모두 심해 같이
짙고 심오한 인상이라 좋아한다

•Blue

1. 세룰리안 블루(Cerulean blue)-HWC,(SWC)
-부드러운 하늘색. 로우 엄버와 함께 거의 모든 무채색 물체에 꼭
들어가는 색이다. 입시 준비 초반에는 신한 물감으로 쓰다가
중후반부에 홀베인 물감으로 바꾸면서 SWC와 HWC 모두
써보았는데, 신한은 초록빛이 돌고 옅게 발색 되지만, 홀베인은
훨씬 선명하고 푸르게 발색 된다.

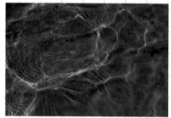

2. 코발트 블루(Coblat blue)-HWC
-사파이어같이 선명한 파랑.
짙게 칠하면 맑은 가을 하늘의 색 같기도, 옅게 칠하면 얇은 바다의 색
같기도 하다. 입시 때에는 세룰리안 블루 만큼이나 가장 많이 쓴 파랑
계열 색이었는데 주로 탄산수나 이온 음료 같은 인공물에 자주 썼다.
그리니쉬 옐로, 로우 엄버와 함께 여름에 습한 곳에 오래 두면 빨리 녹는
물감 중 하나 이니 조심하자.

3. 울트라마린 딥(Ultramarine deep)-SWC

-파랑 중 가장 뚜렷하고 파랑다운 색이다. 짙은
바다나 보석 같은 빛 울트라마린은 잘 알려져 있듯이
초기에는 광물 라피스 라줄리를 가루로 만들어
쓰면서 귀한 색이었지만 현대에는 합성 울트라마린
염료를 주로 사용해 다른 물감과 비슷한 가격으로 쓸
수 있다. 다른 파랑 계열 색도 마찬가지이지만
울트라마린이나 코발트 블루는 특히 더 착색되기
쉬우니 옷이나 피부에 묻었을 때 빨리 씻는 게 좋다

4. 인디고(Indigo)-SWC

-검정에 가깝게 어두운 군청색.
마찬가지로 어두운 파랑인 프러시안 블루보다도
훨씬 진하며 달빛이 없는 밤의 바다 같은 느낌을
주는 색이다. 입시 미술용 팔레트에서 가장 어두운색
중 하나로, 단독으로 쓰기보단 주로 브라운레드나
반다이크 브라운과 섞어서 검정 대용으로 쓴다.

• Violet

1. 라벤더(Lavender)-HWC
-겨울 하늘 같은 인상의 청 회 빛 보라색.
이름의 유래는 유명한 보라색 꽃
라벤더이지만 실제 라벤더색과는 많이
다른 느낌이다.
세룰리안 블루와도 잘 어울려 무채색
물체에 자주 사용되며 틴트 물감 특성상
묽게 발라도 맑아지지 않으니 적당한
농도로 필요한 부분에만 바르는 것이
가장 좋다.

2. 코발트 바이올렛 라이트(Cobalt violet light)-HWC
-코발트를 원료로 사용한 따뜻한 보라색.
반사광이나 그림자 같은 부분에 은은하게 까는 용으로 주로 사용했다.
여담으로 코발트 V.L. 는 내 입시용 팔레트에서 가장 비싼 물감으로
이것 하나만 만원이 넘고 가장 싼 물감보다 거의 열배 정도 비쌌다.

3. 라일락(Lilac)-HWC
-이름의 유래가 된 라일락같이 분홍빛이 도는
연보라색.
내가 틴트 계열 색 중 가장 좋아하는 색이다. 라벤더와
같이 물체에 은은한 보랏빛을 주고 싶을 때 반사광이나
밑 색에 옅게 바르면 예쁘다. 이 색도 습한 곳에 오래
두면 녹기 쉬우니 조심하자.

•Pink

1. 오페라(Opera)-HWC
-강렬한 핫핑크색.
내 팔레트의 색 중에서 가장 튀는 형광
핑크색이지만 의외로 자연물부터 투명
인공물까지 다양한 곳에 쓰인다.
특히 장미나 나리꽃을 그릴 때 옅게 밑
색으로 바르면 예쁘다.

•Brown

1. 로우 엄버(Raw umber)-HWC, SWC
- 흙색. 세룰리안 블루와 함께 무채색이나 투명체를 칠할 때 가장
많이 쓴 색이다. 로우 엄버는 내 팔레트의 색 중에서도 가장 특이한
질감의 물감인데, 말리면 딱딱하게 굳는 대부분의 물감과 달리 로우
엄버는 절대 굳지 않고 항상 말랑말랑한 굳기를 유지하며
조금이라도 많이 쓴 날에는 완전히 녹아 농도 조절이 어려워지기
일쑤였다. 특히 장마철에 더욱 그러니 신경 써서 관리해야 한다.

2. 브라운 레드(Brown Red)-SWC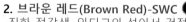
-진한 적갈색. 인디고와 섞어서 검정 대신 칠하기 좋다.
여담이지만 입시 미술을 할 때 내 팔레트에서 브라운
레드가 있는 위치는 붓을 쓰다가 잠깐 팔레트 위에
내려놓으면 닿는 부분이었는데, 방금 전까지 브라운
레드를 쓰다가 붓을 내려놓으면 붓 꽁지 부분에 꼭 이
색이 묻고는 했다. 이 색 역시 기름이 많고 녹기 쉬운
색이니 조심하자.

What's in my

색연필

색연필은 학교 평면조형이나
매체미술 수업 또는 디자인과에서
많이 다루게 됩니다

연필

지우개

칼

연필, 지우개, 칼은
평소 드로잉 수업때 가장 많이
사용되며, 가장 기본적인 재료입니다

볼펜
플러스펜

볼펜과 플러스펜은
매체미술, 평면조형 시간
,그리고 디자인과에서
자주 쓰이는 재료입니다

물감

물감은 전공시간,
특히 서양화과, 디자인과, 동양화과에서
자주 사용됩니다

붓케이스

붓케이스는 배경 붓이나
각종 디자인붓, 수채화붓, 동양화붓을
담아 편히 들고다닐 수 있습니다

물통

물통 또한 물을 다루는 과에서는
자주 사용되는데
그린에 그려진 물통은 특히
디자인과에서 사용되는 물통입니다

디자인붓

디자인붓은 크게 평면붓, 사선붓이 있는데,
세필과 함께 사용하여
반듯하고 세밀하게 묘사하기 좋은 붓입니다

동양화붓

동양화붓은 수묵화붓, 채색화붓이 따로
있고 그에따른 붓의 길이도 다른데.
그렇기에 그릴 그림과 붓의 종류도
다르게 사용합니다

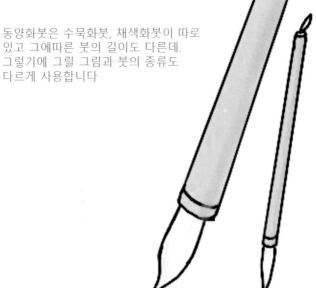

컴퍼스

컴퍼스는 주로 디자인과에서 사용되는데,
반듯한 원을 그릴 필요가 있을 때
사용되지만, 자주 사용되지는 않습니다

자

자 또한 디자인과에서
자주 사용되는 재료인데,
반듯한 선이 필요할때나
크기에 따라 다른 원들을
그리기 편하도록 원형모양
자를 사용하기도 합니다

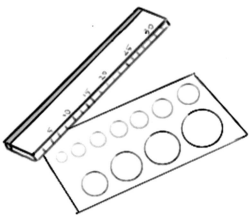

종이파레트

종이파레트는 서양화과에서 아크릴을
사용할 때, 디자인과에서 패스물감을
사용할 때 등에서 사용됩니다

팔레트

수채화 팔레트는 수채화물감을 미리
짜놓고 물을 통해 녹여 사용합니다

먹

먹물은 주로 동양화과에서
여러모로 많이 쓰이는 물감같은
역할을 합니다

걸레
•스카트

걸레와 스카트는 물감을
사용할 때 물기를 닦는
용도로 항상 활용합니다

갱지스케치북

갱지스케치북은 디자인과에서나
크로키를 할 필요가 있을때
대충 막 쓰는 종이로써 역할을 합니다

연필깎이는 디자인과에서는
특히 색연필을 깎을 때 많이 활용되고
시간이 없을 때는 연필을 직접 깎기도
합니다

빗자루

빗자루는 지우개질을 하면서 생긴
지우개똥을 치우는 데에 사용되는데,
이로써 지우개가루로 그림이 망가지는
것을 방지할 수 있습니다

배경붓

배경붓은 말 그대로 뒤에있는
넓은 부분을 차지하는 배경을
빠른 속도로 칠할 수 있도록 도와줍니다

수채화붓

수채화붓은 다른 붓보다도 물맛을 잘
내는 특성이 있어 서양화과에서
사용하기에 적합한 붓입니다

내가 좋아하는 색에
대한 이모저모

류지나

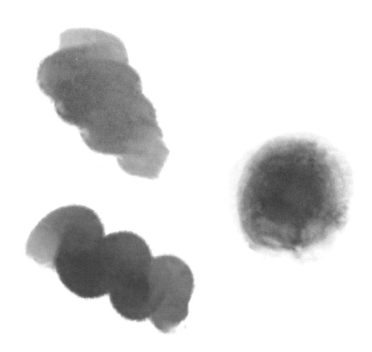

다홍색 Cherry red

처음으로 소개할 색은 다홍색이다. 빨간색과 비슷한 다홍색은 빨간빛과 동시에 주황 빛이 같이 보이는 오묘한 색이다. 다홍색을 칠한 물건이나 다홍색으로 이루어진 것을 보면 한 가지 색에서 여러 빛이 보여서 빨간색보다 더 다양한 느낌을 받았다. 다홍색이라는 이름의 유래는 우리나라에 당나라 문화가 처음 들어왔을 때, 이름 앞에 '당'자를 붙였다고 한다. 이때 아름다운 붉은색의 비단을 '당홍색'이라고 했고 이 비단으로 여자들의 치마를 만들면 그것을 '다홍치마'라고 불렀다고 한다.

다홍색을 떠올리면 체온과 온도, 그리고 감정 표현이 생각난다. 이 키워드들은 전부 사람과 연관돼있다. 그래서 나는 다홍색이 사람에 대한 것을 표현할 때 가장 잘 어울리는 색이라고 생각한다. 그리고 감성을 자극하는 분위기를 표현할 때도 좋다고 생각하는데 사람과 분위기의 관련은 잘 모르겠다... 뭔가의 분위기를 느끼는 것도 사람이 느끼는 것이니 어찌어찌 사람과 관련지을 수 있겠다.

따뜻한 온도와 관련된 색을 생각할 때 다홍색과 같이 떠오르는 색이 바로 빨강 색일 것이다. 내가 생각하는 둘의 차이는 빨간색은 아주 덥고 뜨거운 온도의 이미지이고 다홍색은 뜨겁다기보다는 따뜻하고 포근한 느낌이다. 그래서 크리스마스와 관련된 이미지를 볼 때도 다홍색을 떠올리곤 한다. 크리스마스도 포근한 느낌을 주기 때문 아닐까? 말로 표현하기 어려운 것이다.

학교에서 친구들을 관찰하면 각각의 이미지 색이 떠오르는데, 손이 따뜻하거나 말을 다정하게 한다던가 그런 친구들의 이미지는 전부 다홍빛으로 남았다.

감정 표현에도 다홍색은 잘 어울린다. 흑백 만화의 연출에서
인물의 감정이 주로 긍정적인 쪽으로 고양되는 장면에서
얼굴에 선으로 빗금을 그어서 표현하는데 색이 보이지 않아도
캐릭터의 얼굴이 빨갛게 된 걸 상상하면서 읽을 수 있다. 특히
부끄러움을 느끼거나 사랑에 빠진 캐릭터의 얼굴을 그릴 때는
볼 만이 아니라 얼굴 전체에 빗금을 마구 긋는 연출이 재밌다.
작가들마다 표정이나 표현방식이 다르기 때문에! 그러면 내
머릿속에는 저절로 머리끝까지 새빨개진 캐릭터가 상상된다.
흑백 만화를 보면서 만화 속의 풍경이나 캐릭터의 색을
상상하는 것은 정말 재밌다.

좋아하는 색조합

주홍색+하늘색(파란색)

주홍색+초록색

일본여행에서 비행기
착륙 전에 찍은 사진.
주홍색과 하늘색의
그라데이션이 아름답다!!

보라색 Purple

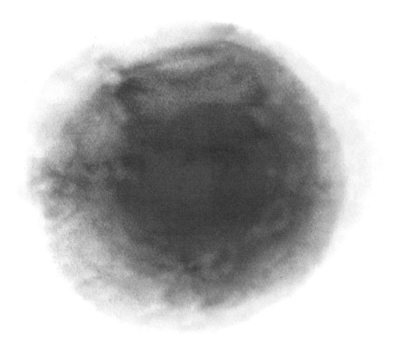

두 번째로 소개할 색은 보라색이다. 보라색은 파란색과 빨간색을 섞으면 나오는 색이다. 그래서 난 보라색에서 빨강과 파랑의 매력을 전부 느낄 수 있다고 생각한다. 채도를 높이면 발랄한 느낌이 들고 낮추면 진중한 느낌을 낸다. 고급 진 분위기를 내고 싶을 때, 몽환적인 분위기를 내고 싶을 때, 전부 어울리는 보라색은 팔색조 같은 매력을 가진 색이다.

보라색은 상상력을 자극
한다 상상 중에서도
상황에 대한 상상력을
자극한다. 보라색의
소재가 주어지면 여러
가지 상상을 하게 된다.

예를 들어 와인잔에 따른 와인을 보면 검은 정장에 구두를 신은
남자가 고층건물에서 통유리 창문으로 밖을 보면서 턱을 괴고
와인을 마시는 상황이 떠오른다... 같은 구체적인 상상을 하게 된다.
그리고 분위기는 전부 차분하고 조용한 밤의 분위기로 상상하게
된다. 인물을 넣어서 상상하면 그 사람은 대부분 외로운 표정을
하고 있다. 와인 마시는 저 사람도 고독하다는 설정이다.

배경으로는 별이 빛나는
밤에 구름이 끼고 보름
달이 보이는 시티 부가
떠오른다. 달은 노란색이
아니고 은색이어야 한다.
저 풍경에 어울리는 노래
는 홀츠 앤 컬러스의 'LA
on a saturday night'

보라색의
신비로움

보라색에서 가장 강하게 느껴지는 이미지는 신비로움일 것이다. 나도 그렇게 느끼지만 이유는 모르겠다. 그러나 많은 광고나 무언가를 신비로운 분위기로 이미지메이킹을 할 때 보라색이 사용되는 것을 빈번하게 봤다. 보라색의 어떤 면이 신비로움을 이끌어내는지 궁금하다.

얼마 전에 비가 잔뜩 오는 날 저녁 하늘이 핑크빛이 도는 보라색으로 변했었다. 우산을 쓰고 집에 가면서 이런 날은 마녀가 돌아다닐 거 같다고 생각했는데 이것도 신비로운 상황에 포함되는 거 아닐까? 정말 만난다면 무섭기보다는 신기할 거 같다.

BLUE
파란색

마지막으로 소개할 색은 파란색이다. 앞에서 소개한 색들을 전부 좋아하지만 가장 오랫동안 좋아한 색이라면 역시 파란색이다. 파란색은 나를 빼고도 많은 사람들에게 사랑받는다. 아마 싫어하는 사람은 없을 것이다. 여름철에 하늘을 보면 가끔 엄청 쨍한 푸른 하늘을 볼 수 있다. 고개를 들었을 때 새파란 하늘과 흰 구름이 보이는 날에는 오늘 하루를 열심히 살자는 결의를 다질 수 있다. 비 오는 날도 좋아하지만 파란 하늘이 주는 파워는 이길 수 없다. 그래서 나는 색들 중 가장 강렬한 색을 꼽으라면 파란색을 꼽을 것이다. 푸르름 줄 수 있는 힘은 무궁무진하다.

파란색은 청량함의 대명사이다. 파란색뿐만 아니라 보기만 해도 시원한 바다 사진의 에메랄드 색, 블루레몬에이드의 하늘색, 바닷속이 생각나는 청록색 등 파란색의 범주에 있는 다양한 색에서 청량함을 느낄 수 있다.

또한 단어나 문장에서도 감각을 느낄 수 있다. 나는 '청춘'이라는 단어를 떠올리면 같이 파란색이 떠오른다. 내가 생각한 파란색은 채도 높은 쨍한 파란색이다. 이유는 아마 애니메이션에서 학생 캐릭터가 나오면 반드시 나오는 장면이 파란 하늘 밑에서 신나게 떠드는 장면인데 그런 걸 너무 많이 봐서 그런 거 같다.

유독 액체, 그러니까 물과 관련되면 청량하다는 감각을 느낀다. 붉은 물도 있지 않나? 내 머릿속의 물의 이미지는 푸른 계열의 색으로 고정관념이 생긴 거 같다. 그래서 물 하면 푸른색 푸른색 하면 청량하다를 떠올린다.

여름에만 볼 수 있는 높고 쨍한 파란색의 하늘을 그려봤다.
구름 없이 맑은 날도 좋지만 역시 흰 구름과 파란 하늘의
조합을 더 좋아한다. 무슨 하늘인지 다들 본 적 있었으면
좋겠다.

 이렇게 다양한 주제와 사람들로 책을 구성하게 되었는
데요.만들면서 많은 시행착오도 있었고 글을 작성하면서
작성자들도 유익한 시간이 되었던것 같습니다.많은 부분에서
아쉬운 책이지만 완독해주셔서 감사합니다.

- 덕원예술고등학교 디자인 b -